EL PRINCIPITO

ANTOINE DE SAINT-EXUPÉRY

El Principito

EDITORIAL ÉPOCA, S.A. DE C.V.
EMPERADORES No. 185
C.P. 03300 MÉXICO, D.F.

El Principito

© Por Editorial Época, S.A. de C.V.
Emperadores No. 185
03300 México, D.F.

ISBN - 970-627-174-7

Impreso en México - *Printed in Mexico*

A LEON WERTH

Pido perdón a los niños por haber dedicado este libro a una persona mayor. Sin embargo, tengo una seria disculpa: esta persona mayor es el mejor amigo que tengo en el mundo. Tengo otra disculpa: esta persona mayor puede comprender todo; hasta los libros escritos para los niños. Tengo una tercera disculpa: esta persona mayor vive en Francia, donde tiene hambre y frío. Tiene una gran necesidad de consuelo. Mas si todas estas disculpas no fueran suficientes, quiero dedicar este libro al niño que fue en otro tiempo. Todas las personas mayores han sido niños antes. (Pero pocas lo recuerdan.) Corrijo entonces mi dedicatoria.

A LEON WERTH
Cuando era niño

Cuando yo tenía seis años, vi un magnífico dibujo en un libro sobre el Bosque Virgen que se llamaba *Historias Vividas*. Este dibujo representaba una serpiente boa que se devoraba a una fiera. Esta es la copia del dibujo.

El libro decía: "Las serpientes boas devoran su presa entera, sin masticarla. Así duermen plácidamente sin moverse durante los seis meses que dura la digestión".

Reflexioné entonces sobre las aventuras de la selva y, a mi vez, logré trazar mi primer dibujo, con un lápiz de color. Mi dibujo número uno era así.

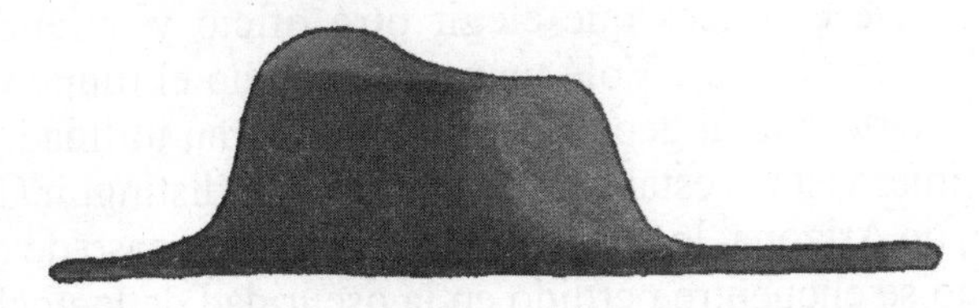

Mostré mi obra maestra a las personas mayores y les pregunté si esto les causaba miedo, y su respuesta fue: ¿Cómo habría de asustarnos un sombrero?

Pero mi dibujo no representaba un sombrero. Representaba una serpiente boa que digería un elefante. Dibujé entonces el interior de la serpiente boa, a fin de que las personas mayores pudieran comprender, ya que los mayores siempre necesitan explicaciones. Mi dibujo número dos era así.

Las personas mayores me aconsejaron que dejara a un lado los dibujos de serpientes boas abiertas o cerradas, y que pusiera más interés en la geografía, la historia, el cálculo y la gramática. Fue así como, a la edad de seis años, abandoné la magnífica carrera de dibujante. Estaba desilusionado por el fracaso de mis dibujos número uno y dos. Las personas mayores nunca comprenden nada por sí mismas y resulta cansado para los niños tener que darles explicaciones.

Tuve entonces que elegir otro oficio y aprendí a pilotear aviones. Volé un poco por todo el mundo. Y es cierto que la geografía me fue de gran utilidad. Al primer vistazo estaba en condiciones de distinguir China de Arizona, lo cual es de gran ayuda en caso de que uno se encuentre perdido en la oscuridad de la noche.

He tenido relaciones con un gran número de gentes serias. Viví mucho con personas mayores, las he visto muy de cerca. Aunque esto no me ha servido para cambiar de opinión con respecto a ellas. Cuando encontraba alguna persona que parecía inteligente, ensayaba mi experiencia de mostrarle mi dibujo número uno, que siempre he conservado. Quería saber si era verdaderamente comprensiva. Pero siempre encontraba la misma respuesta: "Es un sombrero." Entonces no le hablaba ni de serpientes boas, ni de bosques vírgenes, ni de estrellas. Olvidándome así de mi mundo y hablándole del suyo: Le hablaba de bridge, de golf, de política y de corbatas. Y la persona mayor se sentía muy contenta de haber conocido a un hombre tan razonable.

II

Viví así, solo, sin nadie con quien hablar seriamente, hasta que tuve una seria avería en el desierto de Sahara, hace seis años. Algo se había roto en mi motor. Y como no viajaban conmigo ni pasajeros ni mecánicos, me dispuse a realizar, solo, una difícil reparación. Era para mí cuestión de vida o muerte. Ya que sólo tenía agua para calmar mi sed durante unos ocho días.

La primera noche dormí sobre la arena a mil millas de toda tierra habitada. Estaba más solo que un náufrago en medio del océano. Pueden ustedes imaginarse mi sorpresa cuando al día siguiente, al despertar, oí una pequeña vocecita que decía:

—Por favor... ¡Dibújame un cordero!

—¡Eh!

—Dibújame un cordero...

He aquí el mejor retrato que, más tarde logré hacer de él

Me puse de pie de un salto, como si hubiera sido golpeado por un rayo. Me froté los ojos. Miré bien. Y vi un hombrecito extraordinario que me observaba gravemente. He aquí el mejor retrato que, más tarde, logré hacer de él. Aunque mi dibujo es menos bello que el modelo, lo cual no es mi culpa, ya que fui desilusionado respecto a mi carrera como dibujante por las personas mayores, cuando yo tenía seis años y sólo había aprendido a dibujar las boas cerradas y las boas abiertas.

Miré, pues, la aparición con ojos absortos por el asombro. No olvidéis que me encontraba a mil millas de toda región habitada. Y mi pequeño hombrecito no parecía ni perdido, ni muerto de fatiga, ni de sed, ni de miedo. No tenía en absoluto la apariencia de un niño perdido en medio del desierto, a mil millas de toda región habitada. Cuando al fin pude hablar, le dije:

—Pero, ¿qué haces tú aquí?

Entonces, él repitió muy suavemente, como si se tratara de una cosa muy seria:

—Por favor... dibújame un cordero...

Cuando el misterio es demasiado grande, uno no se atreve a desobedecer. Por absurdo que me pareciese, a

mil millas de toda región habitada y en peligro de muerte, saqué del bolsillo una hoja de papel y una pluma. Recordé entonces que yo había estudiado principalmente geografía, historia, cálculo y gramática, y le dije al hombrecito (con un poco de mal humor) que no sabía dibujar. Él me contestó:

—No importa. Dibújame un cordero.

Como nunca había dibujado un cordero, lo que hice fue repetir uno de los dos únicos dibujos que era capaz de hacer. El de la boa cerrada. Me quedé estupefacto cuando oí al hombrecito responderme así:

—¡No! ¡No! No quiero un elefante dentro de una boa. Una boa es muy peligrosa y un elefante muy embarazoso. Mi casa es muy pequeña. Lo que yo necesito es un cordero. Dibújame un cordero.

Entonces dibujé. El hombrecillo miró atentamente mi dibujo y dijo:

—No. Este cordero está muy enfermo. Haz otro.

Yo volví a dibujar y, mientras lo hacía, mi amigo sonrió gentilmente y con indulgencia.

—Como tú puedes observar —dijo—, esto es un carnero y tiene cuernos. El cordero no los tiene.

Rehice, otra vez, mi dibujo. Pero también fue rechazado como los anteriores:

—Este es demasiado viejo. Quiero un cordero que viva mucho tiempo.

Para entonces ya se me había acabado la paciencia y, ansioso por empezar la compostura de mi motor, garabateé este dibujo.

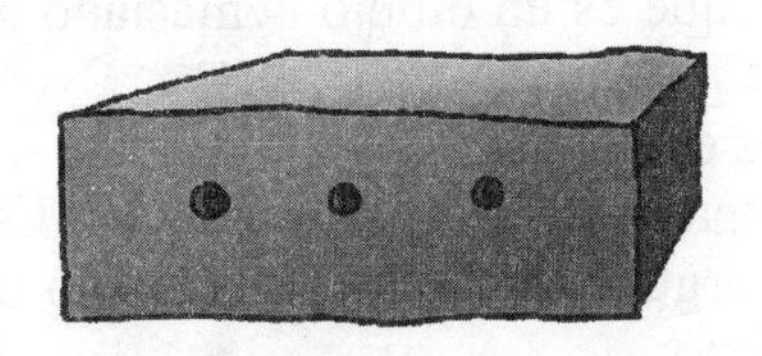

—Esta es la caja —le dije—. El cordero que quieres está adentro.

Quedé verdaderamente sorprendido al ver la cara iluminada de mi joven juez.

—¡Es exactamente lo que yo quería! ¿Crees que necesitará mucha hierba este cordero?

—¿Por qué?

—Porque en mi casa todo es pequeño...

—Con lo que haya, seguramente te alcanzará, ya que te he dado un cordero muy pequeño.

Inclinó la cabeza hacia el dibujo y dijo:

—No tan pequeño... ¡Mira! Se ha quedado dormido...

Y fue así como conocí al Principito.

III

Necesité mucho tiempo para comprender de dónde venía. El Principito me hacía muchas preguntas y, sin embargo, no parecía comprender las que yo le hacía. Y sólo por palabras pronunciadas al azar pude, poco a poco, enterarme de todo.

Cuando él vio mi avión por primera vez (no dibujaré mi avión porque es un dibujo demasiado complicado para mí), me preguntó:

—¿Qué es esa cosa?

—No es una cosa. Es un avión, vuela. Es mi avión.

Me sentí orgulloso de enseñarle cómo volaba. Entonces exclamó:

—¿Como casita del cielo?

—Sí —dije modestamente.

—¡Ah!, que divertido.

Y el Principito soltó una gran carcajada que me irritó mucho. Deseo que se tomen en serio mis desgracias.

Después agregó:

—Así que tú también vienes del cielo. ¿De qué planeta vienes?

Alcancé a ver rápidamente una luz en el misterio de su presencia y le pregunté bruscamente:

—¿Entonces vienes de otro planeta?

Pero él no respondió. Movió la cabeza suavemente observando mi avión.

—La verdad es que, en esto, no puedes haber venido de muy lejos.

Y le embargó una somnolencia que duró largo tiempo. Después sacó el cordero del bolsillo y, olvidándose de todo, se entregó a la contemplación de su tesoro.

Ya podrán imaginarse cuan intrigado estaba yo con esa confidencia dicha a medias sobre "los otros planetas". Entonces traté de conocer más:

—¿De dónde vienes hombrecito? ¿Dónde está tu casa? ¿A dónde quiere llevarte mi cordero?

Después de meditar silenciosamente, respondió:

—Me gusta la caja que me has regalado, ya que en la noche le servirá de casa.

—Claro. Y si eres gentil te daré también una cuerda para que puedas atarlo durante el día. Y una estaca también.

La proposición no le gustó mucho al Principito:

—¿Atarlo? ¡Qué idea más extraña!

—Pero si no lo atas, se irá y se perderá...

Y mi amigo soltó a reírse nuevamente.

—Pero, ¿a dónde quieres que vaya?

—No lo sé. A cualquier parte. Derecho, siempre adelante...

Entonces el Principito dijo gravemente:

—No importa a dónde vaya. El lugar en donde vivo es muy pequeño.

Y con un poco de melancolía añadió:

—Hacia adelante de uno, derecho, no se puede ir muy lejos...

IV

Así es como aprendí una cosa muy importante. El planeta del cual era originario el Principito no era más grande que una casa, lo cual no me extrañó mucho, pues yo sabía que fuera de los grandes planetas como la Tierra, Júpiter, Marte, Venus, que tienen nombre, hay centenares de planetas, a veces muy pequeños, que resulta difícil verlos con el telescopio. Cuando un astró-

El Principito sobre el asteroide B 612

nomo descubre alguno, le da un número por nombre. Lo llama por ejemplo: "asteroide 3251".

Tengo serias razones para creer que el planeta de donde venía el Principito era el asteroide B-612. Este asteroide B-612 sólo ha sido visto una vez con el telescopio, en 1909, por un astrónomo turco.

Este astrónomo hizo una gran demostración en un Congreso Internacional de Astronomía; pero su vestimenta era tan extraña que nadie le creyó. Las personas mayores son así. Afortunadamente para la reputación del asteroide B-612, un dictador turco obligó a su pueblo, bajo pena de muerte, a vestirse a la europea. El astrónomo volvió a dar noticia de su descubrimiento, y como esta vez iba a la usanza europea, muy elegante, esta vez todo el mundo estuvo de acuerdo con él.

Si os he referido estos detalles acerca del asteroide B-6l2 y si he tenido confianza en decirles su número, es por las personas mayores, ya que éstas aman las cifras. Cuando les habla uno de un nuevo amigo nunca te preguntan de cosas esenciales. "¿Cómo es su voz? ¿Cuáles son sus juegos favoritos? ¿Colecciona mariposas?" En cambio, te preguntan: "¿Qué edad tiene? ¿Cuántos hermanos tiene? ¿Cuánto gana? ¿Cuánto gana su padre?" Y, al obtener las respuestas a estas preguntas, creen ya conocer a las personas. Si decimos a los

adultos: "He visto una hermosa casa de ladrillos rojos con geranios en las ventanas y palomas en el techo...", ellos no pueden imaginarse dicha casa. Es preciso decirles: "He visto una casa de cien mil francos". Sólo así exclaman: "¡Qué hermosa es!"

Si les decís: "La prueba de que el Principito existió es que reía, que era hermoso y que quería un cordero", no lo entienden ni lo creen. Querer un cordero es prueba de que existe, entonces se encogerán de hombros y dirán que uno se comporta como un niño. Si, en cambio, se les dice: "El planeta de donde venía es el asteroide B-612", entonces se mostrarán convencidos y no harán más preguntas. Es así como son las personas mayores. Y no hay que reprocharles. Los niños deben ser condescendientes con las personas mayores.

Claro que nosotros, sí comprendemos la vida, nos mofamos de los números. Por ejemplo, a mí, me hubiera gustado empezar esta historia a la manera de los cuentos de hadas:

"Había una vez un Principito que habitaba un planeta apenas más grande que él, y que tenía necesidad de un amigo".

Para aquéllos que comprenden la vida habría parecido mucho más cierto. Pues no me gusta que mi libro sea leído a la ligera. ¡Me entristece tanto relatar estos recuerdos! Hace ya seis años que mi amigo se fue con su cordero.

Si trato de describirlo aquí es para no olvidarlo. Ya que siempre es triste olvidar a un amigo y volverse como las personas mayores que sólo se interesan por los números. Por eso he comprado una caja de colores y de lápices. Es triste tomar de nuevo el dibujo, cuando no se han hecho más tentativas que la de dibujar una boa cerrada y otra abierta, a la edad de seis años. Trataré de hacer los retratos lo más parecidos que me sea posible. Aunque no estoy seguro de lograrlo. Un dibujo no me sale bien, otro se parece más, luego trato de hacer otro y no me sale nada, o sale muy mal porque me equivoco en la talla. Aquí el Principito es demasiado alto. Allá es muy pequeño. Dudo también sobre los colores de su traje. Entonces ensayo de una u otra manera, bien que mal. He de equivocarme, en ciertos detalles más importantes. Pero habrá de perdonárseme. Porque mi amigo nunca daba explicaciones. Quizá me creía semejante a él. Pero, desgraciadamente, yo no sé ver un cordero a través de una caja. Posiblemente soy un poco como las personas mayores. Debo haber envejecido.

V

Cada día aprendía algo nuevo sobre el planeta, sobre la partida, sobre el viaje. Lo aprendía poco a poco, al azar de las reflexiones. Fue así como, al tercer día, ya conocía el drama de los baobabs.

Me enteré de esto gracias al cordero, pues el Principito me interrogó bruscamente, como asaltado por una grave duda:

—¿Es cierto que los corderos gustan de comerse los arbustos?

—Sí, es cierto.

—¡Ah!, qué contento estoy.

No comprendí qué importancia tenía para él que los corderos se comieran los arbustos. Pero el Principito agregó:

—Entonces también se comen los baobabs.

Hice notar al Principito que los baobabs no son arbustos, sino árboles tan grandes como las iglesias y que ni aún llevando con él toda una tropa de elefantes, lograría acabar con un solo baobab.

La idea de la tropa de elefantes le hizo mucha gracia al Principito:

—Habría que ponerlos unos encima de otros.

Y observó con seriedad:

—Los baobabs, antes de crecer, comienzan por ser pequeños.

—¡Es cierto! Pero, ¿por qué quieres que tu cordero se coma a los baobabs pequeños?

Y me respondió: "¡Bueno! ¡Vamos!", como si se tratara de una prueba. Tuve que hacer un gran esfuerzo para comprender cuál era el problema.

Y en efecto, en el planeta del Principito, como en todos los planetas, había hierbas buenas y hierbas malas. Por consecuencia, de buenas semillas buenas hierbas y de malas semillas malas hierbas. Pero los granos no se ven. Duermen en el secreto de la tierra hasta que una de ellas despierta. Entonces, se estira y se asoma tímidamente hacia el sol, por medio de una briznilla inofensiva. Si se trata de una mala planta, hay que arrancarla inmediatamente, en cuanto le reconozca. Había también semillas terribles en el planeta del Principito.

Éstas eran las semillas de los baobabs. El suelo del planeta estaba infestado. Y si se les deja crecer a los baobabs hasta demasiado tarde, ya no es posible desembarazarse de él. Invadiendo así todo el planeta. Lo llega a perforar con sus raíces. Y ese planeta es demasiado pequeño, y si los baobabs son muchos lo hacen estallar.

"Se trata de una cuestión de disciplina", me decía más tarde el Principito. "Cuando termina uno su baño matinal, también hay que limpiar cuidadosamente la casa; es decir, el planeta. Regularmente hay que arrancar las pequeñas plantas de los baobabs, las que hay que saber distinguir de los rosales, ya que de pequeños son muy parecidos. Es un trabajo aburrido, pero fácil".

Y un día me aconsejó dedicarme a trabajar en un buen dibujo, que entrase bien en la cabeza de los niños de mi planeta. Pues si algún día llegaran a viajar, el dibujo les serviría para reconocer a los baobabs. Algu-

nas veces no hay inconveniente en dejar el trabajo para más tarde. Pero si se trata de los baobabs, siempre es catastrófico. "Conocí un planeta que estaba habitado por un perezoso, el cual descuidó tres arbustos".

Siguiendo las indicaciones del Principito, dibujé aquel planeta. Mucho me disgusta adoptar tono de moralista. Pero el peligro de los baobabs es poco conocido y los riesgos que se corren por quien se pierde en un asteroide son tan de consideración que, por una vez, salgo de mi reserva. Y digo: "¡Niños! ¡Cuidado con los baobabs!" Para prevenir a mis amigos de un peligro que los acecha hace tiempo, como a mí mismo, sin conocerlo, he trabajado mucho en este dibujo. Es digna de tenerse en cuenta la lección que doy. Es posible

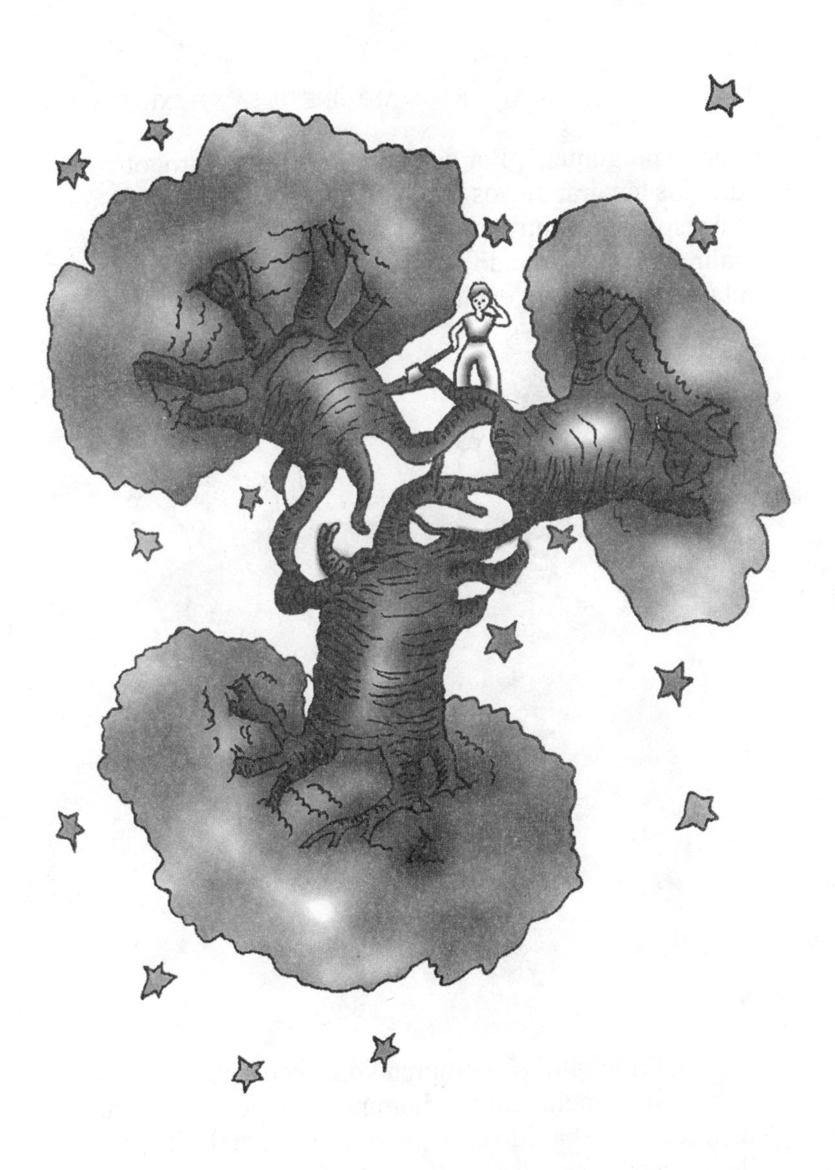

Los baobabs

que se pregunten: ¿Por qué no hay, en este libro, otros dibujos tan grandiosos como el dibujo de los baobabs? La respuesta es muy simple: Lo he tratado pero no pude salir adelante. Cuando dibujé los baobabs me impulsó el sentido de la urgencia.

VI

¡Ah, Principito! He comprendido, poco a poco, tu pequeña vida melancólica. Durante mucho tiempo tu distracción no ha sido otra que la de observar la dulzura de los atardeceres. Me enteré de este nuevo detalle, la mañana del cuarto día, cuando me dijiste:

—Me gustan mucho las puestas de sol. Vamos a ver una puesta de sol...

—Pero es necesario esperar...

—¿Esperar qué?

—Esperar que el sol se ponga.

En un principio te sorprendiste, pero después te reíste de ti mismo y me dijiste:

—Yo siempre siento estar en mi casa.

En efecto, cuando es mediodía en los Estados Unidos, todo el mundo sabe que en Francia es el atardecer. Bastaría ir a Francia en un minuto para asistir a la puesta del sol. Desafortunadamente, Francia está bien lejos. Pero sobre tu pequeño planeta bastaría mover tu silla algunos pasos. Y así contemplarías el crepúsculo cuando así lo desearas.

—Un día vi ponerse el sol cuarenta y tres veces.

Y poco después añadiste:

—¿Sabes que cuando uno está demasiado triste las puestas de sol son agradables?

—El día de las cuarenta y tres veces, ¿estabas verdaderamente triste?

Pero el Principito no respondió.

VII

Al quinto día, siempre gracias al cordero, el secreto de la vida del Principito me fue revelado. Me preguntaba bruscamente, sin ningún preámbulo, como fruto de un problema meditado en silencio durante largo tiempo.

—Si un cordero come arbustos, ¿come también las flores?

—Un cordero come todo lo que encuentra.

—¿Aun las flores que tienen espinas?

—Sí. Hasta las flores que tienen espinas.

—Y bien, las espinas, ¿para qué sirven?

Yo no lo sabía. Estaba entonces muy ocupado tratando de arreglar el motor del avión. Estaba muy preocupado, pues mi avería comenzaba a resultarme demasiado grave, y el agua para beber se agotaba y me hacía temer lo peor.

—Las espinas, ¿para qué sirven?

El Principito nunca renunciaba a una pregunta una vez formulada. Yo estaba irritado por la avería del motor y sólo respondí para salir del paso:

—Las espinas no sirven para nada. Son pura maldad de las flores.

—¡Oh!

Y, después de un silencio, me dijo algo resentido:

—¡No te creo! Las flores son débiles. Son ingenuas. Se defienden como pueden y las espinas son su defensa.

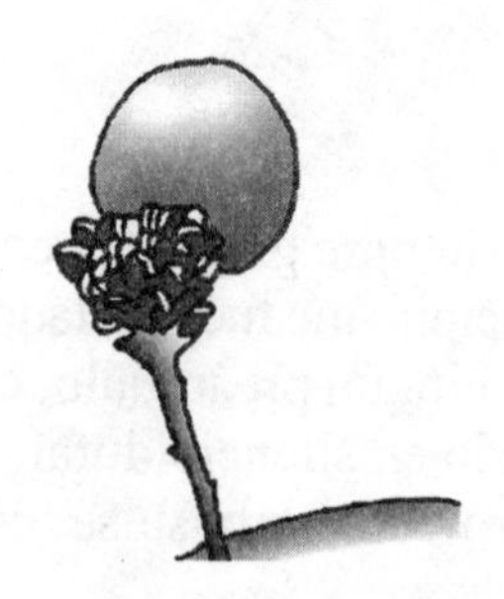

Yo me quedé callado. En ese instante me decía: "Si esta avería se me resiste un poco más, la haré saltar de un martillazo". El Principito interrumpió de nuevo mis reflexiones:

—¿Y tú, tú crees que las flores..?

—Pero no. ¡No! ¡Yo no creo nada! Yo he respondido cualquier cosa. ¡Yo me ocupo de cosas serias!

Se quedó mirándome estupefacto.

—¿De cosas serias?

Él me veía con el martillo en la mano y los dedos negros de grasa, como si le pareciera un objeto muy feo.

—¡Hablas como las personas mayores!

Me avergonzó un poco. Pero, sin ninguna consideración agregó:

—¡Todo lo confundes..! ¡Mezclas todo!

Estaba verdaderamente muy irritado. El viento desordenó sus cabellos dorados.

—Conozco un planeta donde hay un señor carmesí. Nunca ha aspirado una flor. Nunca ha visto una estrella. Nunca ha querido a nadie. Nunca ha hecho otra cosa que sumar y restar. Y todo el día repite como tú: "¡Soy un hombre serio! ¡Soy un hombre serio!", y esto hace que se infle de orgullo. Pero no es un hombre; ¡es un hongo!

—¿Un qué?

—¡Un champiñón!

El Principito estaba pálido de rabia.

—Hace millones de años que las flores fabrican espinas. Hace millones de años que los corderos se comen las flores. ¿Y no es serio intentar comprender por qué las flores hacen el esfuerzo de fabricar sus espinas que nunca sirven para nada?

¿No es importante la guerra de los corderos y las flores? ¿No es aun más serio que las sumas de un señor gordo y rojo? Y el que yo conozca una flor única en el mundo, que no existe en ninguna otra parte, salvo en mi planeta, y que un corderito puede destruirla de un sólo golpe, sin siquiera darse cuenta de lo que hace, ¿no es importante?

Enrojeció y prosiguió de esta manera:

—Si alguien ama a una flor de la que no existe más que un sólo ejemplar entre millones y millones de estrellas, esto es suficiente para que sea feliz cuando mira las estrellas. Pero si el cordero se come una flor, será para él un terrible golpe, tan doloroso, que le parecerá que todas las estrellas se han apagado. ¿No es esto de gran importancia?

No pudo decir nada más. Estalló bruscamente en sollozos. Ya era de noche. Yo había dejado mis herramientas y no me preocupaba ni del martillo, ni del desperfecto mecánico, ni de la sed, ni del hambre, ni de la muerte. En una estrella, en un planeta, el mío, la Tierra, había un Principito que necesitaba consuelo. Lo tomé en mis brazos. Lo arrullé. Le dije: "La flor que tú amas no está en peligro... Yo le dibujé un bozal a tu cordero. Dibujaré una armadura para tu flor..." Yo... Yo ya no sabía que decir. Me sentía muy torpe, no sabía como llegar a él, dónde encontrarlo.... ¡Es tan misterioso el país de las lágrimas..!

VIII

Pronto aprendí a conocer mejor esa flor. En el planeta del Principito siempre había habido flores muy sencillas, adornadas con una sola hilera de pétalos, que casi no ocupaban espacio y que a nadie molestaban ni llamaban la atención. Aparecían una mañana entre la hierba y morían por la tarde. Pero aquélla había germinado un día de una semilla venida de algún lugar desconocido y el Principito había cuidado muy de cerca a esa brizna y no tenía ninguna semejanza a las otras briznas. Esta podía ser nuevo género de baobab. Pero el arbusto, de pronto, dejó de crecer y brotó una flor.

El Principito, que se encontraba ahí en el momento de la formación de un enorme capullo, presentía que iba a surgir una aparición milagrosa, pero la flor no acababa de definir su forma, ni adquirir su real belleza. Se vestía lentamente y se ajustaba sus pétalos. No quería salir arrugada como las amapolas. Quería salir en el pleno resplandor de su belleza. ¡Claro! ¡Era muy coqueta! Esta misteriosa preparación le tomó varios días. Por fin, una mañana, exactamente a la hora de salir el sol, se mostró.

Y la flor, que había empleado tanto esfuerzo y precisión en su nacimiento, exclamó, con un bostezo:

—¡Ah!, acabo de despertarme.... Te pido perdón por mostrarme toda despeinada...

El Principito entonces no pudo contener su admiración.

—¡Qué bella eres!

—Es cierto —respondió dulcemente la flor—. Además nací al mismo tiempo que el sol.

El Principito advirtió que no era demasiado modesta, ¡pero sí muy conmovedora..!

—Creo que es la hora de desayunar —agregó en seguida la flor—. ¿Quieres ser tan amable de dármelo?

Y el Principito, un poco confuso, buscó una regadera de agua fresca y sirvió a la flor.

Y fue así que lo atormentó bien pronto con su vanidad un poco sombría. Un día, por ejemplo, hablando de sus cuatro espinas, dijo al Principito:

—¡Ya pueden venir los tigres con sus garras!

—No hay tigres en mi planeta —objetó el Principito—. Además, los tigres no comen hierba. —Yo no soy una hierba —dijo suavemente la flor.

—Perdóname...

—Los tigres no me atemorizan, pero siento horror a las corrientes de aire. ¿No tienes un biombo?

"Horror a las corrientes de aire... No es una suerte para una planta —observó el Principito—. Esta flor es bien complicada".

—Por la noche me meterás dentro de un globo. Pues aquí hace mucho frío. No hay muchas comodidades. Allá, de donde vengo...

Pero se interrumpió. Había venido en forma de semilla. No conocía nada de otros mundos. Humillada por haberse dejado sorprender en una mentira tan ingenua, tosió dos o tres veces y trató de sorprender al Principito diciéndole:

—¿Y el biombo?

—A eso iba, cuando empezaste a hablar.

Entonces la flor forzó la tos para infringirle aun así, remordimientos.

En efecto, el Principito, a pesar de la buena voluntad de su amor, pronto dudó de ella. Había puesto dema-

siada atención a palabras sin importancia y esto le hizo sentirse muy desgraciado.

"No debí haberla escuchado —me confió un día el Principito—; nunca hay que escuchar a las flores, sólo hay que mirarlas y aspirar su aroma. La mía perfumaba mi planeta, pero yo no gozaba con ello. La historia de las garras que en un principio me molestó, terminó por enternecerme al final..."

Y también me confío:

"No supe comprender nada entonces. Debí haberla juzgado por sus actos y no por sus palabras. Me perfumaba y me iluminaba. ¡Nunca debí de haber huido! Debí haber comprendido su ternura, detrás de sus pobres astucias. ¡Las flores son tan contradictorias! Pero yo era demasiado joven para saber amarla".

IX

Creo que para su evasión, aprovechó una migración de pájaros silvestres. La mañana de su partida arregló muy bien su planeta. Deshollinó muy bien los volcanes en actividad. Tenía dos volcanes en actividad, los cuales le servían para calentar su desayuno por la mañana. Pero, como el Principito decía: "¡no se sabe nunca!" Deshollinó el volcán extinguido. Si estos se deshollinan bien, arden suave y regularmente, sin hacer erupciones. Las erupciones volcánicas son como el fuego de las chimeneas. Evidentemente, en nuestra tierra, somos demasiado pequeños para deshollinar

Deshollinó cuidadosamente los volcanes en actividad

nuestros volcanes. Es por eso que nos causan tantos disgustos.

El Principito arrancó con tristeza los últimos brotes de baobabs. Creía que no volvería jamás. Pero la serie de trabajos cotidianos le parecieron muy agradables esa mañana. Y cuando regó por última vez su flor, y se dispuso a ponerla al abrigo de su globo, descubrió que sentía deseos de llorar.

—Adiós —le dijo a la flor.

Pero la flor no le contestó.

—Adiós —repitió.

La flor tosió, pero no fue por el resfriado.

—He sido tonta —le dijo por fin—. Te pido me perdones y procura ser feliz.

Le sorprendió la ausencia de reproches. Permaneció allí, un poco desconcertado, con el globo en la mano, sin comprender su calmada mansedumbre.

—Pero, sí te quiero —le dijo la flor—. No te has dado cuenta, pero ha sido culpa mía, no tiene importancia. Pero has sido tan tonto como yo. Procura ser feliz... Deja el globo en paz. No lo quiero más.

—Pero el viento...

—No estoy tan resfriada como para... El aire fresco de la noche me hará bien. Yo soy una flor.

—Pero los animales. . .

—Es necesario que soporte algunas molestias de las orugas para gozar la presencia de las mariposas. ¡Son tan bellas! Si no, ¿quién habrá de visitarme? Tú estarás lejos. Y en cuanto a los tigres, no les tengo miedo, tengo mis garras. Y mostró ingenuamente sus cuatro espinas y añadió:

—No te quedes así. Es molesto. Has decidido irte, pues vete ya.

Y es que ella no quería que él la viera llorar. Era una flor tan orgullosa...

X

Se encontraba en la región de los asteroides 325, 326, 327, 328, 329 y 330. Comenzó, pues, a visitarlos para tener una ocupación y para instruirse.

El primero estaba habitado por un rey. El cual estaba vestido color púrpura y armiño, estaba sentado en un trono muy sencillo, pero majestuoso.

—¡Ah! He aquí un súbdito —exclamó el rey cuando vio al Principito.

Y el Principito se preguntó:

—¿Cómo puede reconocerme si nunca antes me había visto?

No sabía él que para los reyes el mundo es muy simple. Todos los hombres son súbditos.

—Acércate para que te vea mejor —le dijo el rey, que estaba orgulloso de ser al fin rey de alguien.

El Principito buscó entonces un lugar donde poder sentarse, pero el planeta estaba totalmente cubierto por el magnífico manto de armiño. Quedóse pues de pie y, como estaba fatigado, bostezó.

—Es contrario al protocolo bostezar en frente de un rey —le dijo el monarca—. Te lo prohibo.

—No debes de prohibírmelo, y yo no he podido evitarlo —dijo confuso el Principito—. Vengo de hacer un largo viaje y no he dormido...

—Entonces —le dijo el rey— te ordeno que bosteces. Hace años que no he visto bostezar a nadie. Y éstos son muy curiosos para mí. Anda, bosteza otra vez. Es una orden.

—Ahora resulta que no puedo bostezar, me ha intimidado —le dijo el Principito ruborizándose.

—¡Hum! ¡Hum! —respondió el rey—. Entonces te ordeno bostezar o no bostezar...

Farfulló un poco y pareció irritado.

El rey exigía únicamente que su autoridad fuera respetada. Y no toleraba la desobediencia. Era un monarca absoluto. Pero, a pesar de eso, era muy bueno y daba órdenes razonables.

"Si ordeno, decía corrientemente, si ordeno a un general que se vuelva una ave marina y si éste me desobedece, no será culpa del general. Será culpa mía."

—¿Puedo sentarme? —preguntó el Principito tímidamente.

—Te ordeno que te sientes —respondió el rey, y recogió majestuosamente un faldón de su manto de armiño.

El Principito quedó sorprendido. El planeta era demasiado pequeño. Y el Principito se preguntaba sobre quién podía reinar.

—Sire..., os pido perdón por interrogaros.

—Te ordeno interrogarme —se apresuró a decir el rey.

—Sire, ¿sobre qué reináis?

—Sobre todo —respondió el rey, simplemente.

—¿Sobre todo?

Y el rey, haciendo un gesto discreto, señaló su planeta, los otros planetas y las estrellas.

—¿Sobre todo eso? —dijo el Principito.

—Sobre todo eso —respondió el rey.

Pues no solamente era un monarca absoluto sino un monarca universal.

—¿Y las estrellas os obedecen?

—Claro —le dijo el rey—. Me obedecen al instante, pues no tolero la indisciplina.

Tanto poder maravilló al Principito. Si él hubiera poseído un poder tan grande, hubiera podido observar no sólo cuarenta y tres, sino setenta y dos o cien, o doscientas puestas de sol en un solo día, sin necesidad de mover su silla de lugar. Y como se sentía un poco triste con el recuerdo de su pequeño planeta abandonado, se atrevió a solicitarle al rey un deseo.

—Quisiera ver una puesta de sol... Hazme el gusto... Ordena al sol que se ponga...

—Si ordeno a un general que vuele de flor en flor, como si fuera una mariposa, o que escriba una tragedia, o que se convierta en ave marina y si el general no ejecuta la orden recibida, ¿quién, él o yo, estaría en falta?

—Sería vuestra —dijo firmemente el Principito.

—Exacto. Hay que exigir a cada uno lo que cada uno puede hacer —replicó el rey—. La autoridad debe estar basada en la razón. Por tanto, es muy posible que un pueblo se lance a la revolución, si se le ordena que se tire al mar. Sin embargo, yo tengo el derecho de exigir obediencia porque mis órdenes son razonables.

—¿Y mi puesta de sol? —respondió el Principito, el cual nunca olvidaba una pregunta que ya había formulado.

—Tendrás tu puesta de sol. La exigiré. Pero esperaré, como me lo dicta mi ciencia del buen gobierno, a que las condiciones sean favorables.

—¿Y cuándo serán favorables las condiciones? —interrogó el Principito.

—¡Hem! ¡Hem! —le respondió el rey, que consultó antes un grueso calendario—, ¡hem!, ¡hem!, será a las... a las... será esta noche a las siete con cuarenta minutos. Y verás como seré obedecido.

El Principito bostezó. Lamentaba la pérdida de su requerida puesta de sol. Y se enfadó un poco:

—No tengo más que hacer aquí —dijo al rey—. ¡Me marcho!

—No te marches —respondió el rey, que estaba muy orgulloso de tener un súbdito—. No te vayas, te haré ministro.

—¿Ministro de qué?

—¡De justicia!

—¡Pero aquí no hay a quién juzgar!

—Uno nunca sabe —dijo el rey—. Aún no he visitado mi reino. Soy muy viejo, no hay lugar para una carroza y caminar me fatiga.

—¡Oh!, pero yo ya he visto —dijo el Principito, asomándose para echar una mirada hacia el otro lado del planeta—. Allí tampoco hay nadie...

—Entonces te juzgarás a ti mismo— le respondió el rey—. Es lo más difícil. Es mucho más difícil juzgarse a uno mismo que juzgar a los demás. Si eres capaz de juzgarte a ti mismo eres un verdadero sabio.

—Juzgarme a mí mismo puedo hacerlo en cualquier parte y no es necesario permanecer aquí.

—¡Hem! ¡Hem! —dijo el rey—. Creo que en algún lugar del planeta hay una vieja rata. La he oído de noche. Juzgarás a la vieja rata. La condenarás a muerte de cuando en cuando. Así su vida dependerá de ti. Pero es la única que existe, así que la indultarás cada vez para poder conservarla.

—A mí no me gusta condenar a muerte a nadie —dijo el Principito—. Es mejor que me retire.

—No —dijo el rey.

Pero el Principito, habiendo acabado ya los preparativos de su partida, no quiso afligir al viejo monarca.

—Si vuestra majestad desea ser obedecido, tendrá que darme una orden razonable. Podría ordenarme, por ejemplo, retirarme antes de pasar un minuto. Me parece que las condiciones son favorables...

Como el rey no respondió, el Principito vaciló un momento y luego suspirando emprendió la partida.

—Te haré mi embajador —se apresuró a gritar el rey.

Tenía un aire de gran autoridad.

Las personas mayores son muy extrañas, se dijo a sí mismo el Principito durante el viaje.

XI

El segundo planeta estaba habitado por un vanidoso.

—¡Ah! ¡Ah! He aquí la visita de un admirador —exclamó el vanidoso en cuanto percibió la visita del Principito.

Pues, para los vanidosos, los otros hombres son sus admiradores.

—Buenos días —dijo el Principito—. Qué sombrero tan raro tienes.

—Es para saludar —respondió el vanidoso—. Es para saludar a los que me aclaman. Desgraciadamente, nunca pasa nadie por aquí.

—¿Ah, sí? —dijo el Principito sin entender nada.

—Golpea tus manos una con otra —le aconsejó el vanidoso.

El Principito golpeó sus manos una con otra, y ante los aplausos, el vanidoso saludaba levantando su sombrero.

—Esto es más divertido que la visita al rey —se dijo el Principito para sí mismo. Y volvió a golpear sus manos, una con otra. El vanidoso se quitó nuevamente el sombrero para saludar.

Después de cinco minutos de ejercicio, el Principito se cansó de la monotonía del juego.

—Y, ¿para que el sombrero caiga qué hay que hacer? —preguntó el Principito.

Pero el vanidoso no le oyó. Los vanidosos sólo entienden las alabanzas.

—¿Me admiras mucho verdaderamente? —preguntó al Principito.

—¿Qué significa admirar?

—Admirar significa reconocer que soy yo el hombre más bello, el mejor vestido, el más rico y más inteligente del planeta.

—Pero si eres la única persona que habita en el planeta.

—Dame gusto. Admírame de todos modos.

—Yo te admiro —le dijo el Principito, encogiéndose de hombros—. ¿Pero qué importancia tiene el que yo te admire?

Y el Principito partió.

Las personas mayores son decididamente muy extrañas, pensaba el Principito durante su viaje.

XII

El siguiente planeta estaba habitado por un bebedor. Esta visita fue muy corta, pero sumió al Principito en una gran melancolía.

—¿Qué haces ahí? —preguntó al bebedor, quien se encontraba sentado en silencio, rodeado de botellas vacías y una colección de botellas llenas.

—Bebo —respondió el bebedor, con aire lúgubre.

—¿Por qué bebes? —le preguntó el Principito.

—Para olvidar —respondió el bebedor.

—¿Para olvidar qué? —preguntó el Principito, quien desde ese momento le compadecía.

—Para olvidar que tengo vergüenza —confesó el bebedor agachando la cabeza.

—¿Vergüenza de qué? —preguntó nuevamente el Principito, pues deseaba ayudarlo.

—¡Vergüenza de beber! —dijo el bebedor, que se encerró definitivamente en el silencio.

Y el Principito, perplejo, se alejó.

Decididamente las personas mayores son muy, pero muy extrañas, se decía a sí mismo el Principito durante el viaje.

XIII

—El cuarto planeta era el de un hombre de negocios, el cual se encontraba tan ocupado que ni siquiera levantó la cabeza para ver al Principito cuando llegó.

—¡Buenos días! —le dijo el Principito—. Su cigarro se ha apagado.

—Tres y dos son cinco. Cinco y siete, doce. Doce y tres, quince. ¡Buenos días! Quince y siete, veintidós. Veintidós y seis, veintiocho. No tengo tiempo para encenderlo nuevamente. Veintiséis y cinco, treinta y uno. ¡Uf! Esto da un total de quinientos un millones seiscientos veintidós mil setecientos treinta y uno.

—¿Quinientos millones de qué?

—¡Eh! ¿Estás ahí todavía? Quinientos millones de ya no sé... ¡Tengo mucho trabajo! Yo soy una persona seria, no me divierto con tonterías. Dos y cinco, siete...

—¿Quinientos millones de qué?, repitió el Principito, que nunca en su vida había renunciado a una pregunta una vez formulada.

El hombre de negocios levantó la cabeza:

—En los cincuenta y cuatro años que tengo de habitar en este planeta, sólo he sido molestado tres veces. La primera vez fue hace veintidós años por un abejorro que cayó sabe Dios de dónde. Produjo un ruido tremendo y esto me hizo cometer cuatro errores en una suma. La segunda vez fue hace once años, pues me dio un ataque de reumatismo. El ejercicio me hace falta. Pero no tengo tiempo para moverme. Soy una persona seria. La tercera vez... ¡Hela aquí! Decía, pues, quinientos un millones...

—¿Millones de qué?

El hombre de negocios comprendió entonces que no había esperanza de paz.

—Millones de esas cosas que se ven a veces en el cielo.

—¿Moscas?

—¡No! Pequeñas cosas que brillan.

—¿Abejas?

—¡Pero no!, cositas doradas que hacen fantasear a gente perezosa. Yo soy una persona seria, no tengo tiempo para fantasear.

—¡Ah! ¿Estrellas?

—Sí, estrellas.

—¿Y qué es lo que haces tú con quinientos millones de estrellas?

—Quinientos un millones seiscientos veintidós mil setecientos treinta y uno. Yo soy una persona muy seria, soy muy preciso.

—¿Y qué es lo que haces con esas estrellas?

—¿Qué hago?

—Sí.

—Nada, poseerlas.

—¿Posees las estrellas?

—Sí.

—Pero yo he visto un rey que...

—Los reyes no poseen nada, simplemente reinan. Es muy diferente poseer que reinar.

—¿Y de qué te sirve poseer las estrellas?

—Me sirve para ser rico.

—¿Y para qué sirve ser rico?

—Para comprar otras estrellas, si es que alguien las encuentra.

Éste razona un poco como el bebedor, se dijo para sí el Principito.

Sin embargo, continuó preguntando.

—¿Cómo puede uno poseer las estrellas?

—¿De quién son? —preguntó, hosco, el hombre de negocios

—No lo sé, de nadie.

—Entonces son mías, pues soy el primero en haber pensado en esto.

—¿Es suficiente?

—Desde luego. Cuando encuentras un diamante que no le pertenece a nadie, es tuyo. Cuando encuentras una isla que no es de nadie, la patentas y es tuya. Yo poseo las estrellas, pues nunca nadie soñó con poseerlas.

—Es cierto —dijo el Principito—. ¿Y qué es lo que tú haces con las estrellas?

—Las administro. Las cuento y las recuento —dijo el hombre de negocios—. Es difícil, pero soy un hombre serio.

El Principito, que no estaba del todo satisfecho con las respuestas, siguió preguntando.

—Si yo poseo un pañuelo, puedo ponerlo alrededor de mi cuello y llevármelo. Y si poseo una flor, puedo cortarla y llevármela. Pero tú no puedes cortar las estrellas.

—Eso no, pero puedo depositarlas en el banco.

—¿Qué quiere decir eso?

—Eso quiere decir que yo escribo en un papelito el número exacto de mis estrellas. Después cierro el papelito bajo llave en un cajón.

—¿Eso es todo?

—Es suficiente.

Esto es divertido, pensó el Principito, y bastante poético. Pero no resulta serio.

El Principito tenía ideas muy diferentes con respecto a las cosas serias de las personas mayores.

—Yo —dijo aún— poseo una flor que riego todos los días. También poseo tres volcanes que deshollino cada semana. Pues deshollino también el que está apagado. Uno nunca sabe. Es útil para mis volcanes y es útil para mi flor el que yo los posea. Pero tú no eres útil a las estrellas...

El hombre de negocios abrió la boca para responder, pero no encontró respuesta y el Principito se fue.

Definitivamente, las personas mayores son enteramente extraordinarias, se dijo el Principito, y continuó su viaje.

XIV

El quinto planeta era muy extraño. Era el más pequeño de todos. Había sólo lugar para un farol y un farolero. El Principito no se explicaba para qué servía en algún lugar del cielo, en un planeta sin casa ni población alguna, un farol y un farolero. Sin embargo, pensaba:

—Posiblemente este hombre es absurdo. Sin embargo, es menos absurdo que el rey, que el vanidoso, que el hombre de negocios y que el bebedor. Por lo menos su trabajo tiene algo de sentido. Cuando el farol se enciende es como si naciera una estrella más, o una flor. Cuando el farol se apaga, hace dormir a la flor o a la estrella. Esta es una ocupación muy linda. Es verdaderamente útil porque es linda.

Al llegar, saludó respetuosamente al farolero.

—¡Buenos días! ¿Por qué acabas de apagar el farol?

—Es la consigna —respondió el farolero—. ¡Buenos días!

—¿Qué es la consigna?

—Apagar el farol. Buenas noches.

Y volvió a encenderlo.

—Entonces, ¿por qué acabas de encenderlo?

—Es la consigna —respondió el farolero.

—No entiendo —dijo el Principito.

—No hay nada que entender —dijo el farolero—. La consigna es la consigna. Buenos días.

Y apagó el farol.

Después se limpió la frente con un pañuelo de cuadros rojos.

Tengo un oficio terrible

—Tengo un oficio terrible. Antes era razonable. Apagaba por la mañana y encendía por la noche. Y tenía el resto del día para descansar, y el resto de la noche para dormir...

—Y después de eso, ¿la consigna cambió?

—No. La consigna no ha cambiado —dijo el farolero—. Ese es el drama. Año con año el planeta gira más rápido y la consigna sigue siendo la misma

—Y, ¿entonces? —dijo el Principito.

—Entonces, ahora que da una vuelta por minuto, no tengo ni un segundo de descanso. —¡Es chistoso! En tu planeta los días duran un minuto.

—A mí no me parece en absoluto chistoso. Hace ya un mes que tú y yo estamos hablando.

—¿Un mes?

—Sí. Treinta minutos. ¡Treinta días! Buenas noches.

Y encendió nuevamente el farol.

El Principito se quedó mirándolo, y le gustó el farolero que era tan fiel a la consigna. Recordó las puestas de sol que él había perseguido, en otros tiempos, al mover su silla. Quiso ayudar a su amigo:

—¿Sabes..?, conozco un medio para que puedas descansar cuando quieras...

—Siempre quiero —dijo el farolero.

—Puedes ser fiel y perezoso a la vez —dijo el Principito.

—Tu planeta es tan pequeño que puedes recorrerlo en sólo tres pasos. No hay más que caminar lentamente para quedar siempre al sol. Caminarás cuando quieras descansar y el día durará el tiempo que tú quieras.

—Eso no es un gran adelanto —dijo el farolero. Lo que más me gusta en la vida es dormir.

—Eso no es tener suerte —dijo el Principito.

—Es no tener suerte —dijo el farolero—. Buenos días.

Y apagó el farol.

Mientras el Principito continuaba su viaje pensaba: Éste sería despreciado por todos, por el rey, por el vanidoso, por el bebedor y por el hombre de negocios. Sin embargo, éste es el único que no me parece ridículo. Tal vez porque es el único que se ocupa de una cosa ajena a sí mismo.

Suspiró con nostalgia y se dijo:

—Éste es el único que podría haber sido mi amigo. Pero su planeta es muy pequeño y no hay lugar para dos...

El Principito no quería confesarse a sí mismo que lo que soñaba de ese bendito planeta eran las mil cuatrocientas puestas del Sol, ¡cada veinticuatro horas!

XV

El sexto planeta era un planeta que estaba habitado por un anciano que escribía en enormes libros y este planeta era diez veces más vasto que los demás.

—¡Eah! He aquí un explorador —gritó el anciano al ver al Principito.

El Principito se sentó sobre la mesa dando un resoplo. ¡Había viajado tanto!

—¿De dónde vienes? —le dijo el anciano.

—¿Qué es este grueso libro? —pregunto el Principito— ¿Qué es lo que haces aquí?
—Yo soy geógrafo —le dijo el anciano.
—¿Qué es un geógrafo?
—Es un sabio que conoce los lugares donde se encuentran los mares, los ríos, las ciudades, las montañas y los desiertos.
—Es muy interesante —dijo el Principito—. ¡Por fin un verdadero oficio! —Y echó un vistazo alrededor del planeta del geógrafo. Nunca había visto un planeta tan majestuoso.
—Su planeta es muy bello. ¿Tiene océanos?
—No lo sé —dijo el geógrafo.
—¡Ah! —el Principito se sintió decepcionado.
—¿Y montañas?
—No puedo saberlo —respondió el geógrafo.
—¿Y ciudades, ríos y desiertos?

—Tampoco puedo saberlo —dijo el geógrafo.

—¡Pero eres geógrafo!

—Sí —dijo el geógrafo—. Pero no soy explorador. Me hacen falta los exploradores. No es trabajo del geógrafo el hacer el cómputo de las ciudades, de los ríos, de las montañas, de los mares, de los océanos y de los desiertos. El geógrafo es demasido importante para andar explorando por ahí. No puede abandonar su despacho. Pero allí recibe a los exploradores. Los interroga y toma nota de las observaciones que hacen. Y si éstas le parecen interesantes, el geógrafo levanta una encuesta acerca de la moralidad del explorador.

—¿Por qué?

—Porque si un explorador dijera una mentira se producirían catástrofes en los libros de geografía. Y también si un explorador bebiera demasiado.

—¿Por qué? —preguntó el Principito.

—Porque los ebrios, en lugar de ver una sola cosa, ven dos. Entonces el geógrafo señalaría dos montañas donde sólo hay una.

—Yo conozco a alguien que no sería un buen explorador.

—Es posible. Por tanto, cuando la moralidad del explorador parece aceptable, se hace una encuesta acerca de su descubrimiento.

—¿Se va a verificar?

—No. Eso es demasiado complicado. Simplemente se le exige al explorador que presente pruebas. Si, por ejemplo, se trata del descubrimiento de una gran montaña, se le exige que traiga grandes piedras.

Dicho lo cual, el geógrafo se emocionó.

—Pero tú, ¡tú vienes de lejos! ¡Eres explorador! ¡Vas a describirme tu planeta!

Y el geógrafo abrió su registro, y afinó la punta de su lápiz. Al principio se anotan con lápiz los relatos de los exploradores. Para anotarlos con tinta, es preciso que el explorador presente las pruebas.

—¿Bien? —interrogó el geógrafo.

—¡Oh! Mi planeta —dijo el Principito— no es muy interesante, es muy pequeño. Tengo tres volcanes. Dos en actividad y uno extinguido: pero uno nunca sabe...

—Uno nunca sabe —dijo el geógrafo.

—También tengo una flor.

—Las flores no se anotan —dijo el geógrafo.

—¿Por qué? ¡Si es lo más lindo!

—Porque las flores son efímeras.

—¿Qué quiere decir efímera?

—Las geografías —dijo el geógrafo— son los libros más valiosos de todos los libros. Nunca pasan de moda Ya que es muy raro que una montaña cambie de lugar. También es raro que un océano pierda su agua. Nosotros escribimos cosas eternas.

—Pero los volcanes extinguidos pueden volver a la actividad —interrumpió el Principito—. ¿Qué significa efímeras?

—Que los volcanes, estén extinguidos o se hayan despertado, es lo mismo para nosotros —dijo el geógrafo—. Lo que cuenta es la montaña del volcán y ésta no cambia.

—Pero, ¿cuál es el significado de efímera? —repitió el Principito que, en toda su vida no había renunciado nunca a una pregunta, una vez que la había formulado.

—Significa que está amenazado por una próxima desaparición.

—¿Mi flor está amenazada por una próxima desaparición?

—Claro que sí.

Mi flor es efímera, dijo para sí el Principito, y únicamente tiene cuatro espinas para defenderse contra el mundo. Y se ha quedado completamente sola en mi casa.

Ese fue el primer sentimiento de nostalgia. Pero tomando valor dijo

—¿Qué me aconsejas que vaya a visitar? —preguntó.

—El planeta Tierra —respondió el geógrafo—. Éste tiene buena reputación...

Y el Principito se fue, pensando en su flor.

XVI

Fue pues, así, el séptimo planeta la Tierra.

La Tierra no es un planeta cualquiera. Se cuentan allí ciento once reyes (sin olvidar, sin duda, los reyes negros), siete mil geógrafos, novecientos mil hombres de negocios, siete millones y medio de ebrios, trescientos once millones de vanidosos, es decir, dos mil millones de personas mayores.

Para darnos una idea de las dimensiones de la Tierra. debo decir que antes de la invención de la electricidad debía mantenerse, en el conjunto de seis continentes, un verdadero ejército de cuatrocientos sesenta y dos mil quinientos once faroleros.

Visto desde lejos hacían un espléndido espectáculo. Los movimientos de este ejército estaban tan bien

organizados como los de un ballet de la ópera. El primer turno era de los faroleros de Nueva Zelanda y de Australia. Una vez que alumbraban sus lamparillas se iban a dormir. Después venía el turno de los faroleros de China y de Siberia. Éstos también se escabullían entre los bastidores. Luego venía el turno de los faroleros de Rusia y de las Indias. Luego venían los de África y Europa. Luego los de América del Sur. Después los de América del Norte. Y nunca cometían un error en el orden de la entrada en escena. Era grandioso.

Únicamente el farolero del Polo Norte y su colega del también único farol del Polo Sur llevaban una vida ociosa e indiferente: pues sólo trabajaban dos veces por año.

XVII

Cuando uno quiere ser ingenioso ocurre que se miente un poco. No he sido muy honesto cuando hablé de los faroleros. Corro el riesgo de dar una falsa idea de nuestro planeta a quien no lo conoce. Los hombres ocupan muy poco lugar en la Tierra. Si los dos mil millones de habitantes que habitan la Tierra estuvieran de pie y un poco apretados, como en un mitin, podrían alojarse fácilmente en una plaza pública de veinte millas de ancho. La humanidad podría amontonarse sobre la más mínima islita del Pacífico.

Las personas mayores, sin duda, no lo creerán. Se creen que ocupan mucho lugar. Se creen muy importantes, como los boababs. Hay que aconsejarles entonces que hagan el cálculo. Esto les gustará, pues ellos adoran las cifras.

Mas no hay que perder el tiempo en esta ocupación. Es inútil. Así es que confía en lo que yo digo.

Una vez en la Tierra, el Principito quedó sorprendido al no encontrar a nadie. Tenía miedo de haberse equivocado de planeta, y cuando en eso pensaba, un anillo de color de luna se movió en la arena.

—¡Buenas noches! —dijo el Principito al azar.

—¡Buenas noches! —dijo la serpiente.

—¿En qué planeta he caído? —preguntó el Principito.

—En la Tierra, en África —respondió la serpiente.

—¡Ah! Pero, ¿qué no hay nadie en la Tierra?

—Aquí es el desierto. Y en los desiertos no hay nadie. La Tierra es grande —dijo la serpiente.

El Principito levantó los ojos hacia el cielo y se sentó en una piedra.

—Me pregunto —dijo— si las estrellas se encuentran encendidas a fin de que cada uno pueda encontrar la suya un día. Mira, mi planeta está allá arriba, justo sobre nosotros, pero está muy lejos.

—¡Qué hermoso es! —dijo la serpiente—. ¿Qué es lo que vienes a hacer aquí?

—Estoy disgustado con una flor —dijo el Principito.

—¡Ah! —dijo la serpiente.

Y se quedaron en silencio.

—¿Dónde se encuentran los hombres? —preguntó el Principito rompiendo el silencio—. Se encuentra uno un poco solo en el desierto.

—Con los hombres también se encuentra uno solo —dijo la serpiente.

El Principito la miró durante largo rato.

—Eres un animal algo raro —dijo al fin el Principito—. Delgado como un dedo.

—Sí —dijo la serpiente—, pero soy más poderoso que el dedo de un rey.

El Principito se sonrió.

Eres un animal raro —le dijo al fin—. Delgado como un dedo...

—No eres muy poderoso... pues no tienes siquiera patas... ni siquiera puedes viajar...

—Puedo llevarte más lejos que un barco —dijo la serpiente.

Y se enroscó alrededor del tobillo del Principito, como si fuera un brazalete de oro.

—Lo que yo toco, lo regreso a la tierra de donde salió —dijo aún—. Pero tú eres puro y vienes de una estrella.

El Principito se quedó sin responder.

—Me das lástima. Eres muy débil y estás en esta dura tierra de granito. Si yo te puedo ayudar, si llegas a extrañar tu planeta. Yo puedo...

—¡Oh! Te he comprendido muy bien —dijo el Principito—. Pero, ¿por qué hablas siempre con enigmas?

—Yo los resuelvo todos —dijo la serpiente.

Y ambos quedaron en silencio.

XVIII

El Principito atravesó todo el desierto y sólo encontró una flor. Una flor de tres pétalos, una flor insignificante...

—Buenos días —saludó el Principito.

—Buenos días —dijo la flor.

—¿Donde están los hombres? —preguntó el Principito cortésmente.

Un día la flor había visto pasar una caravana.

—¿Los hombres? Creo que no existen más de seis o siete. Yo los vi hace años. Pero nunca se sabe dónde encontrarlos. El viento los lleva, pues no tienen raíces y eso les molesta.

—Adiós —dijo el Principito.

—Adiós —dijo la flor.

Una flor de tres pétalos, una flor insignificante...

Este planeta es seco, puntiagudo y salado

XIX

El Principito ascendió a lo alto de una montaña. Las únicas montañas que él conocía eran los tres volcanes que le llegaban a las rodillas. Y usaba el volcán apagado como taburete. "Desde una montaña alta como ésta, veré de un golpe todo el planeta y todos los hombres." Pero él no vio otra cosa que agujas y rocas bien afiladas.

—¡Buenos días! —dijo al azar.

—¡Buenos días..! Buenos días... Buenos días... —respondió el eco.

—¿Quién eres? —dijo el Principito.

—Quién eres... quién eres... quién eres... —respondió el eco.

—Sed amigos míos, estoy solo —dijo el Principito.

Estoy solo... estoy solo... estoy solo... —respondió el eco.

"Qué planeta más raro —pensó entonces—. Es todo seco, es puntiagudo y salado. Y los hombres no tienen imaginación alguna, pues repiten todo lo que uno dice. En mi casa tenía una flor, y era siempre la primera en hablar..."

XX

Pero llegó el momento en que el Principito, habiendo caminado por mucho tiempo a través de arenas, de rocas y de nieves, encontró al fin una ruta. Y todas las rutas van hacia lugares habitados por los hombres.

—¡Buenos días! —dijo.

Era un jardín florido de rosas.

—¡Buenos días! —dijeron las rosas.

El Principito las observó. Todas eran muy parecidas a su flor.

—¿Quiénes son ustedes? —les preguntó el Principito estupefacto.

—Somos las rosas —dijeron las rosas.

—¡Ah! —dijo el Principito.

Se sintió muy desgraciado. Pues su flor le había dicho que era la única de su especie en todo el universo. Y ahora veía que había cinco mil, todas semejantes, en un solo jardín.

"Se sentiría muy mal si viera esto, tosería enormente y aparentaría morir para no sentirse ridícula, pues de lo contrario, para humillarme a mí también, sería capaz de dejarse morir."

Luego pensó: "Me creía muy rico con una flor única y sólo poseo una rosa común y corriente. Sólo tengo la rosa y mis tres volcanes que me llegan a las rodillas, uno de los cuales está apagado para siempre. Realmente no soy un gran príncipe. Y, tirándose sobre la hierba, lloró.

XXI

Fue entonces que apareció el zorro.

—¡Buenos días! —dijo el zorro.

—Buenos días! —contestó amablemente el Principito, y se volvió para mirar pero no vio a nadie.

—Aquí estoy, bajo el manzano —dijo la voz.

—¿Quién eres? —preguntó el Principito—. Eres muy lindo.

—Soy un zorro —dijo el zorro.

—Ven, vamos a jugar —le propuso el Principito—. Me encuentro muy triste...

—No puedo jugar contigo —dijo el zorro—. No soy un zorro domesticado.

—¡Ah! Perdón —dijo el Principito.

Pero, después de reflexionar, agregó.

—¿Qué significa domesticar?

—Tú no eres de aquí —dijo el zorro—. ¿Qué es lo que buscas?

—Busco a los hombres —dijo el Principito—. ¿Qué significa domesticar?

—Los hombres —dijo el zorro— tienen rifles y cazan. Es muy molesto. También crían gallinas. Ese es su único interés. ¿Tú buscas gallinas?

—No —dijo el Principito—. Yo sólo busco amigos. Pero dime, ¿qué significa domesticar?

—Es algo demasiado olvidado —dijo el zorro—. Significa crear lazos.

—¿Crear lazos?

—Sí —dijo el zorro—. Para mí tú eres sólo un muchacho igual a otros muchachos. Y no te necesito. Y tú tampoco me necesitas. Yo sólo soy un zorro como cualquier otro. Pero si tú me domesticas, tú necesitarás de mí y yo de ti. Serás para mí único en el mundo. Y yo también seré para ti único en el mundo.

—Empiezo a entender —dijo el Principito—. En mi planeta hay una flor y creo que me ha domesticado.

—Puede ser —dijo el zorro—. ¡En la Tierra se ven toda clase de cosas..!

—¡Oh! No es en la Tierra —dijo el Principito.

El zorro pareció muy interesado:

—¿En otro planeta?

—Sí.

—¿Hay cazadores en ese planeta?

—No.

—Eso es interesante. ¿Y hay gallinas?

—No.

—No hay nada perfecto —suspiró el zorro.

Pero el zorro volvió a su idea.

—Mi vida es monótona. Cazo gallinas y los hombres me cazan a mí. Todas las gallinas son muy parecidas y los hombres son también muy parecidos entre sí. Así que, como verás, me aburro un poco. Pero si tú me domesticas, mi vida se llenará de sol. Conoceré un ruido de pasos que no se parecerá a todos los otros. Los otros pasos hacen que yo me esconda bajo la tierra. El tuyo me llamará fuera de mi madriguera, como una música. Y además, mira. ¿Ves, allá, los campos de trigo? Yo no como pan. Para mí el trigo es inútil. Los campos de trigo no me recuerdan nada. Es algo triste. Pero tú tienes los cabellos del color del oro. Cuando me hayas domesticado, será algo maravilloso. El dorado del trigo será un recuerdo de ti. Y me gustará mucho el ruido del viento en el trigo...

El zorro permaneció en silencio y observó por largo rato al Principito.

—Domestícame, por favor —dijo el zorro.

—Quisiera hacerlo —dijo el Principito—, pero no tengo mucho tiempo. Tengo que encontrar amigos y conocer muchas cosas.

—Sólo se conocen las cosas que se domestican —dijo el zorro—. Los hombres ya no tienen tiempo de conocer nada. Las cosas las compran ya hechas a los mercaderes. Pero, como no existe ningún mercader

amigo, los hombres ya no tienen amigos. Si tú quieres tener un amigo, entonces domestícame.

—¿Qué hay que hacer? —dijo el Principito.

—Bueno, hay que ser muy paciente. Al principio te sentarás un poco retirado de mí, así, en la hierba. Yo te echaré un vistazo y tú no dirás nada. La palabra es la fuente del malentendimiento. Pero, conforme pasen los días, te sentarás cada vez más cerca.

Al siguiente día el Principito volvió.

—Es mejor que siempre vengas a la misma hora —dijo el zorro—. Si vienes, por ejemplo, a las cuatro de la tarde, comenzaré a ser feliz desde las tres. Conforme avance la hora, más feliz me sentiré. A las cuatro me sentiré agitado y un poco inquieto, sólo así descubriré el precio de la felicidad. Pero si vienes a cualquier hora nunca sabré cuándo preparar mi corazón... Tú sabes, los ritos son necesarios.

—¿Qué es un rito? —dijo el Principito.

—Eso también es algo complicado —dijo el zorro—. Es lo que hace un día diferente de otro, una hora diferente de otra hora. Entre los cazadores, por ejemplo, hay un rito. Los jueves bailan con las muchachas del pueblo. El jueves es un día maravilloso. Me paseo hasta la viña. Si los cazadores no tuvieran un día fijo para ir a bailar, todos los días serían iguales y yo no tendría vacación alguna.

Fue así que el Principito domesticó al zorro. Mas cuando llegó el día de la partida, el zorro dijo:

—Voy a ponerme a llorar.

—La culpa es tuya —dijo el Principito—. Yo no quería causarte ningún daño, pero tú quisiste que te domesticara.

Si vienes, por ejemplo, a las cuatro de la tarde, comenzaré a ser feliz desde las tres

—Sí —dijo el zorro.

—Pero vas a llorar —dijo el Principito.

—Sí —dijo el zorro.

—Pero no ganas nada.

—Sí gano algo: ahora el color del trigo es más agradable.

Después agregó el zorro:

—Ve a ver las rosas una vez más. Y así comprenderás que la tuya es única en el mundo. Regresarás para decirme adiós, y como regalo te diré un secreto.

El Principito se fue a ver nuevamente las rosas.

—En efecto, no son nada parecidas a mi rosa, todavía no son nada —les dijo—. Nadie las ha domesticado, y ustedes no han domesticado a nadie. Están ustedes como estaba mi zorro. Sólo era un zorro común y corriente como cien mil otros. Pero ahora él es mi amigo y ahora es único en el mundo.

Y las rosas se molestaron.

—Son realmente bellas, pero están vacías —les dijo todavía—. No se puede morir por ustedes. Sin duda un transeúnte común creerá que mi rosa se parece a ustedes. Pero ella sola es para mí más importante que todas ustedes juntas, ya que ella es la rosa a quien yo he regado. Y la he puesto bajo un globo, y le di abrigo con un biombo. Y también la libré de las orugas, y sólo dejé a aquellas que se convirtieron en mariposas. Es ella la rosa a quien oí quejarse, vanagloriarse, callarse. Porque al fin de todo, ella es mi rosa.

Y volvió con el zorro.

—Adiós —dijo.

—Adiós —dijo el zorro—. He aquí mi secreto. Es muy simple: no se puede ver bien, sólo con el corazón. Lo esencial es invisible a los ojos.

—Lo esencial es invisible a los ojos —repitió el Principito para no olvidarlo.

—El tiempo que perdiste por tu rosa hace que tu rosa sea tan importante.

—El tiempo que perdí por mi rosa... —dijo el Principito para no olvidarlo.

—Los hombres han olvidado esa gran verdad —dijo el zorro—. Pero tú no la olvides. Eres responsable para siempre de lo que has domesticado. Eres responsable de tu rosa...

—Soy responsable de mi rosa... —repitió el Principito a fin de acordarse.

XXII

—Buenos días —dijo el Principito.

—Buenos días —dijo el guardaagujas.

—¿Qué haces aquí? —dijo el Principito.

—Clasifico a los viajeros en paquetes de mil —dijo el guardaagujas—. Despacho los trenes que los llevan, tanto hacia la derecha como hacia la izquierda.

De pronto, algo iluminado, rugiendo como el trueno, hizo temblar la cabina de las agujas.

—Llevan mucha prisa —dijo el Principito—. ¿Qué es lo que buscan?

—El hombre de la locomotora lo ignora —dijo el guardaagujas.

Y nuevamente un segundo rápido iluminado rugió, pero en el sentido inverso.

—¿Ya vuelven? —preguntó el Principito.

—No son los mismos —dijo el guardaagujas—. Es un cambio.

—¿No estaban contentos donde estaban?

—Nunca nadie está contento en donde está —dijo el guardaagujas.

Y rugió el trueno de un tercer rápido iluminado.

—¿Persiguen a los primeros viajeros? —preguntó el Principito.

—No persiguen nada en absoluto —dijo el guardaagujas—. Ahí dentro duermen o bostezan. Los únicos que aplastan sus narices contra los vidrios son los niños.

—Sólo los niños saben realmente lo que buscan —dijo el Principito—. Pierden su tiempo por una muñeca de trapo y la muñeca llega a ser algo muy importante, y si les quitan la muñeca, lloran...

—Tienen suerte —dijo el guardaagujas.

XXIII

—Buenos días —dijo el Principito.

—Buenos días —dijo el mercader.

Se trataba de un mercader de píldoras perfeccionadas que calman la sed. Si se toma una pastilla cada semana, no se siente más la necesidad de beber.

—¿Por qué vendes eso? —dijo el Principito.

—Es una gran economía de tiempo —dijo el mercader—. Los expertos han hecho cálculos, y han comprobado que se ahorran cincuenta y tres minutos por semana.

—Y luego, ¿qué hacen con esos cincuenta y tres minutos?

—Se hace lo que uno quiere...

—Si yo tuviera cincuenta y tres minutos —dijo el Principito—, caminaría muy suavemente hacia una fuente.

XXIV

Estábamos en el octavo día de permanencia en el desierto y había escuchado la historia del mercader tomándome la última gota de agua que tenía de provisión.

—¡Ah! —le dije al Principito—, tus recuerdos son bien lindos, pero todavía no he podido reparar mi avión, no tengo nada para beber y yo también me sentiría muy feliz si pudiera caminar hacia una fuente.

—Mi amigo el zorro —me dijo.

—Mi pequeño hombrecito, no se trata más del zorro...

—¿Por qué?

—Porque vamos a morir de sed...

No entendió mi razonamiento y dijo:

—Es bueno haber tenido un amigo, aun cuando se vaya uno a morir. Yo me siento feliz de haber tenido un amigo zorro...

"No mide el peligro —me dije—. Jamás tiene hambre ni sed. Con un poco de sol es suficiente para él."

Pero, mirándome, respondió a mi pensamiento:

—Yo también tengo sed, busquemos un pozo...

Hice un gesto de cansancio: es absurdo buscar un pozo al azar en la inmensidad del desierto. Sin embargo, nos pusimos en marcha.

Habíamos caminado horas en silencio cuando la noche cayó y las estrellas empezaron a brillar. Las veía como en sueños, con algo de fiebre, a causa de mi sed. Las palabras del Principito danzaban en mi memoria.

—¿Tú también tienes sed? —le pregunté.

Pero no respondió a mi pregunta. Me dijo simplemente:

—El agua puede también ser buena para el corazón...

No entendí su respuesta, pero me callé... Pues yo sabía muy bien que no había que interrogarlo.

Estaba cansado. Se sentó. Me senté cerca de él. Y después de un silencio, dijo:

—Las estrellas son bellas, por una flor que no se ve...

Yo le contesté "seguramente" y, sin hablar, miré los pliegues de la arena bajo la luna.

—El desierto es bello —dijo el Principito. Es cierto. Siempre he amado el desierto. Puede uno sentarse sobre una duna de arena. No se distingue nada. No se oye nada. Y, sin embargo, algo resplandece en el silencio.

—Lo que realmente embellece al desierto —dijo el Principito— es que esconde un pozo en cualquier parte...

De repente, me sorprendí al ver el misterioso y brillante resplandor de la arena. Cuando yo era chico vivía en una casa antigua y la leyenda contaba que allí se encontraba escondido un tesoro. Sin duda, nadie pudo encontrarlo y quizá nadie lo buscó. Pero encantaba toda la casa. Mi casa guardaba un secreto en el fondo de su corazón...

—Sí —dije al Principito—, ya sea que se trate de la casa, de las estrellas o del desierto, lo que los embellece es invisible.

—Me alegra —dijo el Principito— que estés de acuerdo con mi zorro.

Como el Principito se quedó dormido, lo tomé en mis brazos y volví a ponerme en marcha. Estaba emocionado. Me parecía que cargaba un frágil tesoro. Me parecía también que no había nada más frágil sobre la Tierra. Miré su frente a la luz de la Luna. Su frente pálida, sus ojos cerrados y sus mechones de cabellos que temblaban con el viento, y me dije: "Lo que veo aquí es sólo una corteza, lo más importante es invisible..."

Como sus labios esbozaban una pequeña sonrisa, me dije aún: "Lo que más me emociona de este Principito es la fidelidad por una flor, es la imagen de una rosa que resplandece en él, como la llama de una lámpara, aun cuando duerme..." Y lo sentí más frágil aún. Hay que proteger muy bien a las lámparas, porque un golpe de viento puede apagarlas..."

Y así, caminando, descubrí el pozo al amanecer el día.

XXV

—Los hombres —dijo el Principito— se encierran en los rápidos y no saben lo que buscan. Entonces se agitan y dan de vueltas.

Y añadió:

—No vale la pena...

El pozo al que habíamos llegado no se parecía a los pozos del Sahara. Los pozos del Sahara son simples agujeros que se encuentran cavados en la arena. Este más bien parecía un pozo de aldea. Pero resulta que ahí no había ninguna aldea y yo creía soñar.

—Es extraño —dije al Principito—. Todo está ya listo: la roldana, el balde y la cuerda...

Él se rió, tocó la cuerda y esto hizo que la roldana se moviera. Y la roldana hizo un gemido, como el gemido de una vieja veleta cuando el viento no las ha movido durante mucho tiempo.

—¿Oyes? —dijo el Principito—. El pozo se ha despertado y el pozo canta...

—Déjame hacerlo a mí —dije al Principito—. Esto es demasiado pesado para ti.

Lentamente subí el balde hasta el brocal. Lo asenté firmemente. Y en mis oídos seguía cantando la roldana y en el agua que aún temblaba, vi temblar el sol.

—Tengo sed de esta agua —dijo el Principito—. Dame de beber.

Entonces comprendí lo que él había buscado.

Levanté el balde hasta sus labios. Bebió con los ojos cerrados. El espectáculo era bello, como un día de fiesta. El agua no era un alimento. Había nacido de la marcha bajo las estrellas, del canto de la roldana, del

Rió, tocó la cuerda e hizo mover la roldana

esfuerzo que yo hice con mis brazos. Era buena para el corazón, como si esto fuera un regalo. Cuando yo era pequeño, la luz del arbolito de Navidad, la música de la misa de medianoche, la dulzura de las sonrisas, daban todo el resplandor del regalo de Navidad que yo recibía.

—En tu tierra —dijo el Principito— los hombres cultivan cinco mil rosas en un mismo jardín... Y nunca encuentran aquello que buscan.

—No lo encuentran... —respondí.

—Y pensar que lo que buscan podría encontrarse en una sola rosa o en un poco de agua...

—Seguramente —respondí.

Y el Principito añadió:

—Pero los ojos no siempre ven, hay que buscar con el corazón.

Yo había bebido. Respiraba sin complicación. La arena, al nacer el día, estaba del color de la miel. Me sentía también con ese color de miel. ¿Por qué había de apenarme?

—Es necesario que cumplas tu promesa —me dijo dulcemente el Principito, que de nuevo, se había sentado junto a mí.

—¿Qué promesa?

—Tú lo sabes... un bozal para mi cordero... Yo soy responsable de mi flor.

Saqué de mi bolsillo mis bosquejos de dibujo. El Principito los vio y se rió. Dijo:

—Tus baobabs se parecen algo a los repollos...

—¡Yo que estaba orgulloso de los baobabs!

—Tu zorro... las orejas... parecen unos cuernos y están demasiado largas.

Y rió aún.

—Eres injusto, hombrecito; yo sólo sé dibujar las boas cerradas y las boas abiertas.

—¡Está bien! —dijo—. Los niños entienden todo.

Dibujé, pues, un bozal. Y el corazón se me oprimió al dárselo.

—Tú tienes proyectos que yo no conozco —dije al Principito.

Pero él no respondió, y me dijo:

—¿Sabes?, mañana será el aniversario de mi llegada a la Tierra.

Después, haciendo una pausa, dijo todavía:

—Caí muy cerca de aquí.

Y se sonrojó.

Y otra vez, sin comprender por qué, sentí una gran tristeza. Pero la pena que sentí no me impidió preguntar:

—Entonces, no te paseabas por casualidad la mañana en que te conocí, hace ocho días, así, solo, a mil millas de toda tierra habitada. ¿Regresabas al punto en donde caíste?

El Principito volvió a enrojecer.

Y añadí, vacilante:

—¿Por el aniversario, tal vez?

El Principito volvió a sonrojarse. Jamás respondía a las preguntas, pero cuando uno se sonroja, significa "sí". ¿No es cierto?

—¡Ah! —le dije—. Temo...

Pero él me respondió:

—Bueno, ahora debes trabajar, debes volver a tu máquina. Te espero aquí. Vuelve mañana en la tarde...

Pero yo estaba intranquilo. Me acordaba del zorro. Si uno se deja domesticar, corre el riesgo de llorar un poco...

XXVI

Junto al pozo había una ruina de un viejo muro de piedra. La tarde siguiente, al regresar de mi trabajo, vi de lejos al Principito sentado allí arriba; las piernas le colgaban. Y oí que hablaba:

—¿No te acuerdas, pues? —decía— ¡No es exactamente aquí!

Sin duda, otra voz le contestaba, puesto que él también contestó:

—¡Sí! ¡Sí! Es el día, pero éste no es el lugar...

Proseguí mi camino hacia el muro. Yo no veía ni oía a nadie. Sin embargo, el Principito replicó de nuevo:

—...Seguro. Verás dónde comienzan mis huellas sobre la arena. Lo único que tienes que hacer es esperarme ahí. Estaré ahí esta noche.

Yo me encontraba a veinte metros del muro y seguía sin ver nada.

El Principito, después de un silencio, dijo:

—¿Tienes buen veneno? ¿Estás seguro de que no me vas hacer sufrir mucho tiempo?

Me detuve, un poco acongojado, pero seguía sin comprender.

—Ahora vete —dijo—. Quiero bajarme.

Entonces bajé la mirada hacia el pie del muro y di un brinco. Allí, erguida, había una de esas serpientes amarillas que dan la muerte en pocos segundos. Empecé a correr mientras buscaba el revólver en mi bolsillo, pero al oír el ruido que hice, la serpiente se dejó deslizar suavemente por la arena, como si fuese un chorro de aire que se extingue, y, lentamente, se escurrió entre las piedras con un ligero sonido metálico.

—Ahora, vete... —dijo—. ¡Quiero volver a descender!

Llegué al muro justo a tiempo para recibir en mis brazos al Principito, pálido como la nieve.

—¿Pero qué historia es ésta? ¿Ahora hablas con las serpientes?

Le aflojé su eterna bufanda de oro. Le mojé las sienes y le hice beber. Y no me atrevía a preguntarle nada. Él me miró gravemente, me tendió los brazos y rodeó mi cuello. Sentía el latir de su corazón como el de un pajarillo que muere, herido por una carabina, y me dijo:

—Me alegro de que hayas encontrado lo que le hacía falta a tu máquina. Podrás volver a tu casa...

—¿Cómo lo sabes? Precisamente venía a avisarte que, contra toda esperanza, había tenido éxito en mi trabajo.

No respondió nada a mi pregunta, pero añadió:

—Yo también, hoy regreso a mi casa...

Luego, melancólico:

—Está bastante más lejos... Es mucho más difícil...

Sentía que algo extraordinario estaba ocurriendo. Lo abracé en mis brazos, como si fuera un niño, y, sin embargo, sentí que se escurría verticalmente hacia un abismo sin que pudiera hacer nada por retenerlo...

Tenía la mirada seria, perdida, muy lejana:

—Tengo tu cordero. Y tengo la caja para el cordero. Y también tengo el bozal...

Y me sonrió con algo de melancolía.

Esperé un largo rato. Sentía que volvía a entrar en calor poco a poco.

—Has tenido miedo, hombrecito.

Sin duda había tenido miedo. Pero rió suavemente.

—Esta noche tendré mucho más miedo...

Nuevamente me sentí helado por la sensación de lo irreparable. Y comprendí que me sería muy difícil la idea de no volverlo a oír reír. Era para mí como una fuente en un desierto.

—Hombrecito, quiero oírte reír una vez más...

Pero él me dijo:

—Esta noche, hará un año. Mi estrella se encontrará justamente en el lugar en donde caí el año pasado.

—Hombrecito, ¿verdad que es una pesadilla esa historia de la serpiente, de la cita y de la estrella?

Pero él no contestó a mi pregunta y dijo:

—Lo que es importante no se ve...

—Seguramente...

—Es igual que con la flor. Si quieres a una flor que se encuentra en una estrella, es agradable mirar el cielo por la noche. Todas las estrellas están florecidas.

—Ciertamente.

—Al igual que con el agua. La que me has dado de beber era como una música, por la roldana y por la cuerda... ¿Te acuerdas? Era dulce.

—Seguramente.

—Por la noche mirarás las estrellas. No te puedo enseñar dónde se encuentra la mía, porque mi casa es demasiado pequeña. Será mejor así. Mi estrella será para ti una de las estrellas... Todas ellas serán tus amigas. Y después te voy a hacer un regalo...

Volvió a reír.

—¡Ah!, hombrecito, hombrecito, ¡me gusta oír tu risa!

—Precisamente, ese será mi regalo... Será como con el agua...

—¿Qué es lo que quieres decir?

—Las gentes tienen estrellas que no son las mismas. Para algunos, los que viajan, las estrellas son sus guías. Para otros, sólo son lucecitas. Para otros, que son sabios, son problemas. Para mi hombre de negocios, eran oro. Pero todas esas estrellas no pueden hablar. Pero tú tendrás estrellas como nadie las ha tenido.

—¿Qué quieres decir?

—Cada que mires el cielo, por la noche, como yo habitaré en una de ellas, como yo reiré en una de ellas, será para ti como si todas las estrellas se rieran. ¡Tú tendrás estrellas que saben reír!

Y él volvió a reír.

—Y cuando te sientas consolado (siempre se encuentra consuelo) te sentirás contento de haberme conocido. Siempre serás mi amigo. Y tendrás deseos de reír conmigo. Y a veces abrirás tu ventana por placer... Y tus amigos se quedarán asombrados de verte reír mirando al cielo. Entonces podrás decirles: "Las estrellas a mí siempre me hacen reír", y ellos pensarán que estás loco. Te habré hecho una mala pasada.

Y volvió a reír:

—Será como si en vez de estrellas te hubiera dado un montón de cascabelitos que saben reír...

Se puso serio, pero antes volvió a reír.

—Esta noche.... ¿sabes..? no vengas.

—No me separaré de ti.

—Te parecerá que sufro..., como si me fuera a morir..., y así sería. No vengas a verlo, pues no vale la pena...

—No me separaré de ti.

Pero el Principito estaba algo inquieto.

—También te digo esto por la serpiente. No debe de morderte... Las serpientes son muy malas. Sólo muerden por placer.

—No me separaré de ti.

Pero algo lo tranquilizó.

—Es cierto que no tienen veneno en la segunda mordedura...

Esa noche no lo vi ponerse en camino. Se fue sin ruido. Cuando al fin pude alcanzarlo, caminaba decidido, con paso rápido. Y solamente me dijo:

—¡Ah! Estás ahí...

Me tomó de la mano. Pero siguió atormentándose:

—Has hecho mal. Vas a sufrir. Parecerá que he muerto y no será verdad...

Yo callaba.

—¿Tú comprendes? Es muy lejos. No me es posible llevar este cuerpo. Me pesa demasiado.

Yo permanecí callado.

—Sin embargo, será como una vieja corteza que se abandona. Y las viejas cortezas nunca están tristes.

Yo seguía callado.

—El Principito se desalentó un poco, pero haciendo un esfuerzo dijo:

—¿Sabes?, será agradable. Yo también miraré las estrellas. Todas las estrellas serán pozos con una roldana enmohecida. Todas las estrellas me darán de beber...

Yo callaba.

—¡Será tan divertido! Tú tendrás quinientos millones de cascabeles y yo tendré quinientos millones de fuentes...

Y el Principito también se quedó callado. Estaba llorando...

—Es allá. Déjame dar un paso, solo.

Y se sentó porque tenía miedo.

Y dijo aún:

—¿Sabes...?, mi flor... soy responsable. ¡Y ella es tan débil! ¡Y es tan ingenua! Tiene cuatro espinas insignificantes para protegerse contra el mundo...

Yo me senté, pues no podía estar más de pie.

El Principito dijo:

—Bien... Eso es todo...

Aún vaciló un momento; luego se levantó. Dio un paso. Yo ya no podía moverme.

Sólo un relámpago amarillo centelleó cerca de su tobillo. Por breves instantes quedó inmóvil. No gritó, cayó como cae un árbol: suavemente. En la arena ni siquiera hizo ruido.

XXVII

Por cierto, han pasado ya seis años... Es la primera vez que cuento esta historia. Los camaradas que me encontraron se alegraron de verme vivo. Yo me encontraba algo triste, pero les decía: "Es la fatiga".

Ahora ya me he consolado un poco. No del todo. Pero sé que el Principito volvió a su planeta, pues, al nacer el día, no encontré su cuerpo. Un cuerpo que en

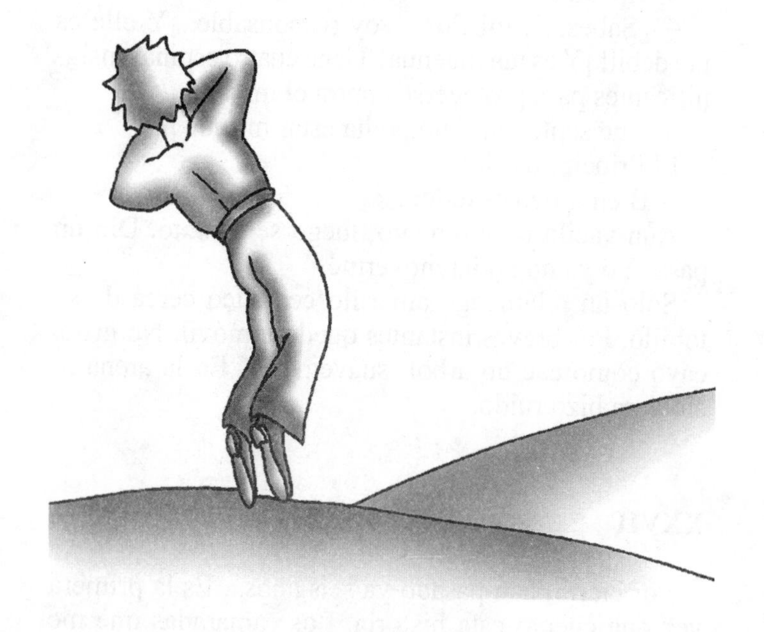

realidad no era muy pesado... Y por la noche me gusta oír las estrellas. Son como quinientos millones de cascabeles...

Pero algo extraordinario pasa. Me olvidé de poner la correa de cuero al bozal que dibujé para el Principito. No podrá ponérsela nunca al cordero. Y me pregunté: ¿Qué habrá pasado en el planeta? Quizá el cordero se comió la flor...

Y a veces me digo: "Seguramente no. El Principito encierra todas las noches a la flor bajo un globo de vidrio y vigila muy bien a su cordero..." Es entonces que me siento feliz. Y veo reír a las estrellas dulcemente.

Otras veces me digo: "De cuando en cuando uno se distrae, y eso es suficiente. Una noche el Principito olvidó ponerle el globo de vidrio a la flor o el cordero salió silenciosamente durante la noche..." Entonces los cascabeles se convierten en lágrimas...

Esto para mí es un gran misterio. Para vosotros, que también amáis al Principito, como para mí, nada en el universo sigue siendo igual si en alguna parte no se sabe dónde, un cordero que nosotros no conocemos ha comido, sí o no, a una rosa...

Pero miren al cielo y pregunten: ¿El cordero se ha comido a la flor, sí o no? Y entonces veréis como todo cambia.

Sin embargo, ninguna persona mayor comprenderá jamás que esto tenga tanta importancia.

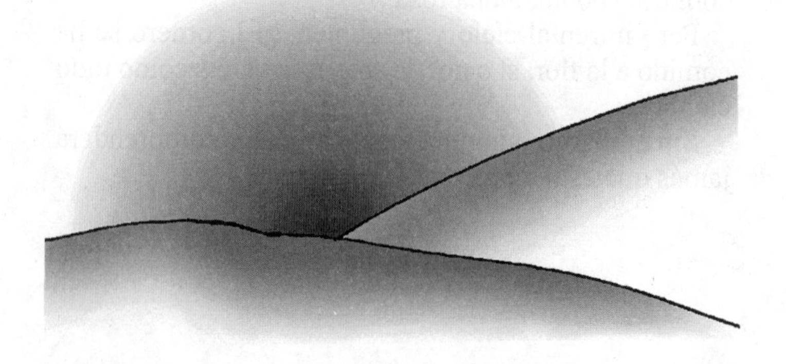

Para mí, éste es el más bello y más triste paisaje del mundo. Es el mismo paisaje de la página anterior; yo lo he dibujado una vez más para que lo vean bien. Aquí fue donde el Principito hizo su aparición en la Tierra para luego desaparecer.

Mirad con mucha atención este paisaje y aseguráos bien de que podréis reconocerlo, si algún día viajáis por el África, en el desierto. Y si llegáis a pasar por ahí, os ruego: no os apresuréis; esperad un momento, exactamente debajo de la estrella. Si entonces un niño se acerca hacia vosotros, si ríe, si tiene cabellos dorados como el oro, si no responde cuando se le formula una pregunta, adivinaréis al instante quién es. Sed amables entonces. No me dejéis tan triste. Escribidme en seguida diciéndome que el Principito ha vuelto.

Esta obra se terminó de imprimir en los talleres de
EDICIONES CULTURALES PARTENON, S.A. DE C.V.
16 de Septiembre No. 29-A Col. San Francisco Culhuacán
C.P. 04700, México, d.f., 5445-9534